50 BRINCADEIRAS PARA FAZER AO AR LIVRE OU DENTRO DE CASA

GIRASSOL

LEGENDA

NÍVEL DE DIFICULDADE

 Fácil  Médio  Difícil

PARA BRINCAR DENTRO OU AO AR LIVRE

Dentro de casa

Ao ar livre

NÚMERO DE JOGADORES

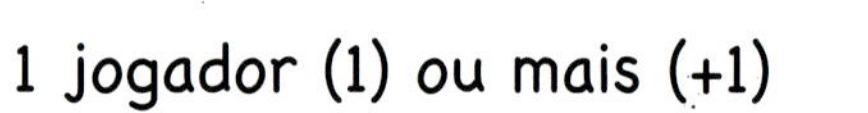
1 jogador (1) ou mais (+1) 2 jogadores (2) ou mais (+2) 3 jogadores (3) ou mais (+3)

TIPO DE BRINCADEIRA

Ação

Raciocínio

Imaginação

Habilidade manual

Velocidade

Sorte

Título original: *50 indoor & outdoor activities*
Concepção: Galia Lami Dozo - van der Kar
Brincadeiras: Valérie Muszynski
Ilustrações: JHS Studio
Projeto gráfco: Florence Mayné

Publicado no Brasil por:
Girassol Brasil Edições Eireli
Al. Madeira, 162 - 17º andar - Sala 1702
Barueri - SP - 064545-010
leitor@girassolbrasil.com.br / www.girassolbrasil.com.br

Direção editorial: Karine Gonçalves Pansa
Supervisão editorial: Carolina Cespedes
Assistente editorial: Carla Sacrato
Coordenação e edição de texto: Ab Aeterno
Tradução: Luciana Peixoto
Revisão: Silvia Correr, Vanessa Spagnul, Helena Dias, Patrícia Vilar e Camile Mendrot
Diagramação: Ingrid Carmona

VINTE E UM

Chegue o mais perto possível do número 21 para ganhar os peões.

Você vai precisar de:

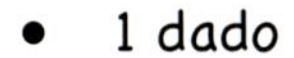

- 1 dado
- 1 pedaço de papel
- 1 lápis
- 1 pote
- Alguns peões, que podem ser botões – ou ainda melhor – balas!

Como jogar:

Divida os peões igualmente entre os jogadores (se forem balas, ninguém pode chupá-las... pelo menos não durante a brincadeira).
O primeiro jogador lança o dado diversas vezes na sequência. A cada lançamento, ele anota o número que tirou no dado e o soma ao total anterior.
Quando achar que chegou perto o suficiente do número 21, sem ultrapassá-lo, ele para. A jogada dele termina aí.
O segundo jogador faz o mesmo.
Quando todos os participantes tiverem jogado, eles podem ver os resultados.
O jogador que fizer mais de 21 perde e tem que colocar um de seus peões no pote.
O vencedor será quem chegar mais perto de 21. Seu prêmio é pegar tudo o que estiver dentro do pote e, ainda, um peão a mais de cada jogador.
Se houver empate, os jogadores decidirão quem será o vencedor jogando o dado.
Aquele que tirar o número maior vence.
Hum... é tão gostoso brincar com doces!

JOGO DO SIM OU NÃO

Não se deixe enganar e não diga "sim" ou "não"!

Como jogar:

Um dos jogadores é escolhido como mestre, para fazer as perguntas. Os outros devem responder às questões, mas sem dizer "sim" ou "não". Quem disser as palavras proibidas é eliminado.
Por exemplo, o mestre do jogo pode perguntar: "Há nuvens no céu hoje?".
O jogador não pode de forma alguma responder "sim" ou "não". Em vez disso, ele precisa ser esperto e responder, por exemplo, "exatamente" ou "claro, você está certo", se houver nuvens no céu; ou ainda "de forma alguma", "negativo" etc., se o céu estiver completamente limpo.

Pequena variação:

Você pode usar outras palavras proibidas, como "azul" e "vermelho" ou "grande" e "pequeno" etc.

DIPLOMA DA ESCOLINHA*

Encontre mais palavras que os outros!

Você vai precisar de:

- Lápis e papel

Como jogar:

Cada jogador pega um pedaço de papel e desenha uma tabela com cinco colunas.
Juntos, os jogadores definem um tema para cada coluna. Por exemplo: países, frutas, animais, cores, plantas, objetos, nomes próprios etc.
Um dos jogadores começa a passar o alfabeto mentalmente e para na hora em que perguntarem a letra a ele. A letra em que ele estava pensando naquele momento será a letra da rodada.
Cada jogador tem 5 minutos para preencher suas colunas com o máximo de palavras que começarem com a letra escolhida. Por exemplo, na coluna de "países", ele precisa achar o máximo de países cujo nome começa com aquela letra.
Após 5 minutos, os jogadores contam o número de palavras que eles anotaram.
Palavras listadas por mais de um jogador são eliminadas. Apenas as palavras únicas ficam e cada uma vale 1 ponto.
Vence o jogador que fizer mais pontos.
E o jogo recomeça com outra letra.

*Esta é uma versão um pouco diferente do jogo conhecido como "Adedanha" ou "Stop".

CABRA-CEGA

Não se deixe ser agarrado pela cabra-cega!

Você vai precisar de:

- 1 venda para olhos

Como jogar:

Um jogador é escolhido para ser a cabra-cega. Uma venda é colocada em seus olhos para que ele não possa ver nada.

Então, ele é delicadamente girado até que perca seu senso de direção; em seguida, é solto.

A cabra-cega precisa tentar pegar um de seus colegas e reconhecê-lo, usando as mãos.

Enquanto ele procura, os outros jogadores o incomodam, o giram, esbarram nele e lhe fazem cócegas, mas devem evitar ser pegos por ele! Eles também falam diversos diálogos com a cabra-cega para que, pelo som, ela perceba onde os outros jogadores estão.*

Quando é reconhecido, o jogador se torna a próxima cabra-cega.

*Diálogos para fazer com a cabra-cega:
— Cabra-cega de onde você veio?
— Vim lá do moinho.
— O que você trouxe?
— Um saco de farinha.
— Me dá um pouquinho?
— Não.
— Cabra-cega, de onde você vem?
— Venho da serra.
— O que trouxe para mim?
— Bolinhos de canela.
— Quero um!
— Não dou.

VARIAÇÃO: O fugitivo com o sino

Toque o sino e fuja o quanto conseguir!

Você vai precisar de:

- 1 venda para cada jogador, menos para um
- 1 sininho ou uma tampa de panela com uma colher

Como jogar:

Nesta versão, todos os jogadores têm os olhos vendados, menos um.
O jogador sem venda pega o sino e corre em torno da sala, fazendo barulho para que os colegas possam localizá-lo – mas não muito, para não ser pego.
Se ele for pego, troca de lugar com quem o pegou.
Então, o jogo recomeça com outro participante que enxerga!

ESCONDE-ESCONDE

Esconda-se bem!

Como jogar:

Um jogador é escolhido para ser o pegador. Ele fica em um canto encostado em uma árvore ou em uma parede, fecha os olhos e conta até 30 ou mais em voz alta.

Enquanto isso, os outros jogadores rapidamente correm para se esconder.

Quando terminar de contar, o pegador avisa: "Prontos ou não, aqui vou eu!". E sai à procura dos colegas. Quando encontrar um, ele grita: "Peguei!".

Então, esse jogador também começa a procurar os outros com ele.

Quando todos os jogadores tiverem sido achados, o jogo recomeça com outro pegador!

VARIAÇÃO: O caçador

Como jogar:

Desta vez, um jogador é eleito caçador. Uma árvore ou parede é escolhida para ser a cabana. O caçador vira-se para a cabana, fecha os olhos e conta até 30 ou mais, como no jogo anterior. Enquanto isso, os outros jogadores correm para se esconder. Quando tiver terminado de contar, ele grita: "Prontos ou não, o caçador está chegando!", e sai em busca dos colegas.
Quando achar um, o jogador encontrado precisa correr para a cabana rapidamente para não ser pego pelo caçador.
Os outros jogadores saem de seus esconderijos e também correm para a cabana.
O primeiro jogador a ser pego vira o próximo caçador.

OUTRA VARIAÇÃO: Sardinhas*

Como jogar:

Um jogador é escolhido para ser a sardinha: ele sai para se esconder, enquanto os outros começam a contar.
Assim que terminarem de contar, cada um sai para procurar a sardinha. Quando um deles a encontrar, esconde-se com ela, sem dizer nada para os outros.
Os jogadores vão, um a um, encontrando a sardinha e se escondendo com ela... até que se veem espremidos juntos, como se estivessem numa lata de sardinhas!
O último jogador a achar o esconderijo é escolhido para ser a primeira sardinha da rodada seguinte. Ele, então, precisa se esconder na próxima vez.

*Esta versão do jogo é muito popular na Alemanha.

PACIÊNCIA DIFERENTE

Arrume todas as cartas antes de os quatro ases aparecerem.

Você vai precisar de:

- 1 baralho de 32 cartas*

Como jogar:

Para começar, espalhe à sua frente todas as cartas viradas para baixo distribuindo-as em oito colunas de quatro cartas. As linhas são definidas aleatoriamente – por exemplo, a primeira linha é de copas; a segunda, de ouros; a terceira, de paus, e a quarta, de espadas.
O objetivo é alinhar as cartas do 7 ao ás, em cada linha, da esquerda para a direita. A última coluna é para os ases.
O jogador começa virando as quatro cartas da última coluna. Ele pega uma das cartas e a coloca na coluna correta, tirando a carta que estava lá. Então ele coloca a carta retirada na linha à qual ela pertence, e assim, sucessivamente, as cartas são postas em ordem.
Quando aparecer um ás, ele tem que ser colocado na oitava coluna.
Se o último ás aparecer e for virado antes de todas as outras cartas terem sido postas em ordem, perde-se o jogo. Nesse caso, você deve começar tudo de novo!

*Um baralho de 32 cartas é composto por: 7, 8, 9, 10, valete, dama, rei, ás.

BOLA NO TÚNEL

Não deixe a bola passar no túnel formado pelo seu corpo!

Você vai precisar de:

- 1 bola

Como jogar:

Todos os jogadores formam um círculo, ficando em pé, com as pernas afastadas, seus pés direitos contra os pés esquerdos dos vizinhos, suas costas curvadas e suas mãos unidas entre as pernas.

Um dos participantes joga a bola no círculo. Com as mãos unidas, os jogadores precisam fazer a bola passar entre as pernas de outro jogador, como por um túnel.

O primeiro jogador a deixar a bola passar entre suas pernas precisa jogar com uma mão nas costas. Se a bola passar entre suas pernas mais uma vez, ele precisa se virar e continuar jogando de costas; nesse caso, pode voltar a juntar as mãos. Se deixar a bola passar pela terceira vez, ele precisa continuar o jogo de costas, mas com uma mão nas costas. Se deixar a bola passar pela quarta vez, ele é eliminado! E assim por diante. Vence o último jogador que restar.

CAÇADA

Ganhe as bolinhas de gude do outro jogador.

Você vai precisar de:

- Algumas bolinhas de gude

Como jogar:

O primeiro participante lança sua bolinha de gude no chão.
O segundo jogador vai para o mesmo lugar e também joga sua bolinha de gude. Se conseguir tocar a bolinha do adversário, ele a pega para si e pode jogar novamente, atirando sua bolinha de onde o último jogador parou.
Então é a vez do outro jogador. Havendo três jogadores ou mais, eles se revezam para tentar encostar as bolinhas de gude nas dos adversários. Caso consigam fazer isso, pegam as bolinhas e podem jogar outra vez, sempre lançando-as do último lugar onde suas bolinhas pararam.
Se não conseguir tocar nenhuma bolinha, o jogador perde a vez, mas deixa sua bolinha onde está. Ele jogará novamente com aquela bolinha, se ela não tiver sido "comida" pelo adversário!

OLÁ, VOSSA MAJESTADE*

Fuja da rainha.

Você vai precisar de:

- 1 área grande, de aproximadamente 8 metros

Como jogar:

Um jogador é escolhido para ser a rainha (ou rei, se for um menino).
Os demais jogadores se reúnem e, sem que sejam ouvidos pela rainha (ou pelo rei), escolhem o nome de uma cidade e o de uma profissão que comecem com a mesma letra. Por exemplo, Porto Alegre e padeiro.
Então, formam uma fila e ficam de frente para a rainha, mas a uns 3 metros dela, e cantam em coro:
– "Olá, Vossa Majestade!"
E a rainha responde:
– Olá, crianças! Onde vocês estavam?
As crianças respondem em coro, dando o nome da cidade onde estavam:
– Em Porto Alegre!
– E com o que vocês trabalhavam lá?
E as crianças fazem, juntas, a mímica da profissão.
Quando ela finalmente acertar o nome da profissão, todas as crianças devem correr para o final do campo.
A rainha precisa ser mais rápida e pegar uma delas. O jogador pego se transforma em um príncipe (ou princesa, se for menina) e fica com a rainha.
Na rodada seguinte, os jogadores que não foram pegos escolhem outra cidade e outra profissão. A rainha e o príncipe (ou a princesa) precisam adivinhar a profissão.
E assim o jogo continua...

*Este jogo é muito popular na Bélgica.

ALQUERQUE

Pegue os peões do seu adversário!

Você vai precisar de:

- Papel quadriculado
- Lápis
- 24 peões; 12 de uma cor, 12 de outra

Sugestão: podem ser usados pedacinhos de macarrão e feijões ou até pedrinhas pintadas com duas cores diferentes.

Como jogar:

Copie o diagrama acima (um quadrado com 16 quadradinhos divididos por linhas diagonais).

Cada jogador coloca seus peões em todas as interseções de linhas, exceto no meio. Um jogador coloca um peão de cada vez em um ponto vazio de interseção, mas seguindo as linhas dos lados ou na diagonal. Os peões nunca podem se mover para trás.

Para pegar o peão do adversário, apenas pule sobre ele e posicione-se logo depois dele. Para isso, o ponto de interseção seguinte precisa estar vazio.

Você pode também pegar vários peões do adversário de uma só vez: para isso, eles precisam estar separados por interseções vazias.

Como os peões nunca se movem para trás, quando chega à última linha do lado do adversário, o peão não pode ultrapassar essa linha.

O jogador que pegar mais peões do adversário vence.

VARIAÇÃO: Os bodes e os tigres

Os bodes precisam cercar os quatro tigres antes que eles comam cinco bodes.

Você vai precisar de:

- 4 peões de uma cor
- 20 peões de outra cor

Como jogar:

O jogador que escolher ser o bode pega os 20 peões da mesma cor e os mantém fora do tabuleiro (que é igual ao do jogo anterior).
O jogador que escolher ser os tigres pega os outros quatro peões e coloca um em cada canto do tabuleiro.
Os peões, tanto tigres quanto bodes, podem se mover em todas as direções, mas apenas de uma interseção para outra vizinha vazia.
O jogador com os bodes começa. Ele coloca um de seus bodes no tabuleiro, onde quiser.
Então, é a vez do jogador com os tigres: ele move um de seus tigres para uma interseção vizinha vazia. E assim por diante, os jogadores se revezam.
O jogador com os bodes não pode movê-los até que todos tenham sido postos no tabuleiro. Os tigres, contudo, podem comer os bodes simplesmente pulando em cima deles e ocupando uma interseção vizinha vazia logo atrás deles. Eles podem pular diversas vezes na sequência e, assim, comer diversos bodes ao mesmo tempo, desde que pousem em uma interseção vazia depois de cada bode.
Os bodes precisam tentar cercar os tigres para fazer com que eles parem de se mover e ainda evitar serem comidos.
Se conseguirem cercar todos os quatro tigres, os bodes vencem! Mas, se os tigres comerem cinco bodes, então eles é que ganham.

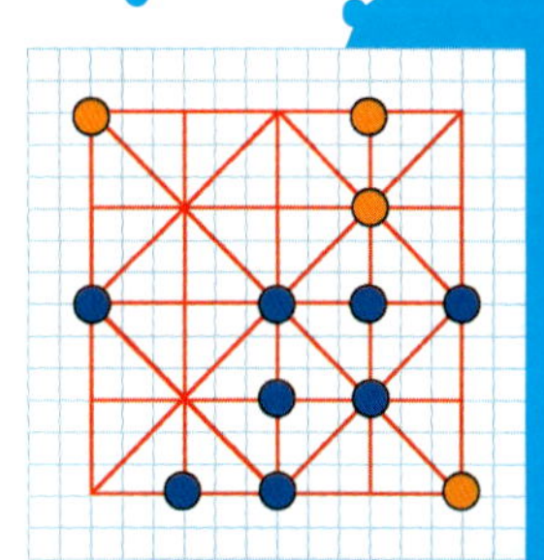

JOQUEMPÔ

Faça um símbolo mais forte que os outros.

Como jogar:

Os dois jogadores sentam-se de frente um para o outro, cada um com a sua mão direita nas costas. Eles dizem as palavras "pedra, papel e tesoura" e, ao mesmo tempo, mostram suas mãos com um dos símbolos: mão fechada = pedra; mão aberta = papel; e mão com apenas o dedo indicador e o dedo médio esticados = tesoura.

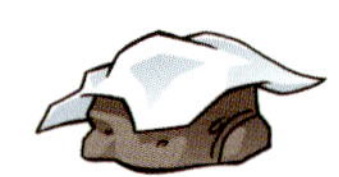

O mais forte vence.
O papel vence a pedra, já que ele a embrulha.
A pedra derrota a tesoura porque a quebra.
A tesoura derrota o papel ao cortá-lo.
Se ambos os jogadores fizerem o mesmo símbolo, a rodada fica empatada.
Cada rodada ganha vale 1 ponto. O primeiro jogador a conseguir 5 pontos vence a partida.

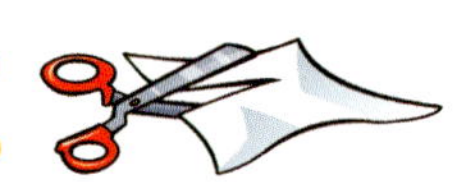

TELEFONE SEM FIO

Passe uma mensagem para o seu vizinho.

Como jogar:

Todos os jogadores sentam-se em círculo.
O primeiro jogador (o mais jovem, por exemplo) sussurra uma mensagem bem complicada no ouvido do seu colega, sem deixar ninguém mais ouvir.
O colega então repete a mensagem como ele a entendeu para o jogador seguinte, sussurrando e falando muito rapidamente.
O jogador seguinte faz o mesmo e, assim, o jogo continua até que a mensagem tenha passado por todos os integrantes do círculo.
O último jogador repete a mensagem que ele acabou de receber em voz alta.
Então, o primeiro jogador conta aos outros qual era a mensagem... e todos irão perceber que ela foi levemente distorcida!
Que telefone engraçado!

BATALHA-NAVAL

Afunde a frota do adversário!

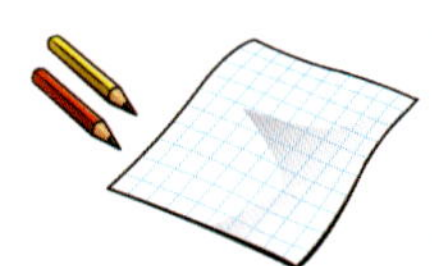

Você vai precisar de:

- 1 papel quadriculado para cada jogador
- Alguns lápis de cor

Como jogar:

Cada jogador desenha, no papel quadriculado, dois quadrados grandes, que serão seu campo de batalha, de medida 10 quadradinhos x 10 quadradinhos e os identificam: de A a J na horizontal e de 1 a 10 na vertical. Então, sem deixar o adversário ver, cada jogador desenha em um dos quadrados sua frota. Cada frota consiste de:

- 1 porta-aviões, representado por 5 quadrados;
- 2 encouraçados, representados por 4 quadrados cada um;
- 3 cruzadores, cada um representado por 3 quadrados;
- 4 submarinos, cada um representado por 1 quadrado.

Os navios são distribuídos pelo seu campo de batalha sem seguir uma ordem. Mas cuidado: quando estiverem posicionados, os navios não podem encostar um no outro! No outro quadrado vazio, o jogador vai desenhar a frota do adversário, assim que descobrir onde ele a posicionou.
O jogo pode começar quando os dois jogadores já tiverem posicionado secretamente as suas frotas.

O primeiro jogador "dispara o seu canhão", dizendo qual quadrado quer acertar. Por exemplo, "B6". O segundo jogador responde:

- "B6 na água!", se não houver elementos de sua frota no B6;
- "B6 atingido!", se o quadrado estiver ocupado por um quadrado de seus navios; ou
- "B6 afundou!", se o canhão destruir o último quadrado de um de seus navios, fazendo com que ele afunde.

Então, no campo de batalha do adversário, o jogador que acabou de atirar marca em sua folha de papel:

- uma cruz no quadrado B6 para indicar que um tiro caiu na água e que não há elementos da frota do oponente naquele quadrado;
- pinta o quadrado para indicar que ali há um elemento da frota do oponente; ou
- uma cruz nos quadrados para indicar que um dos elementos afundou.

Se o adversário foi atingido, ele marca uma cruz no quadrado do navio dele que foi atingido. Se o navio afundou, ele diz isso. E assim por diante, os jogadores tentam afundar a frota do adversário.

O primeiro jogador a afundar a frota do adversário ganha o jogo.

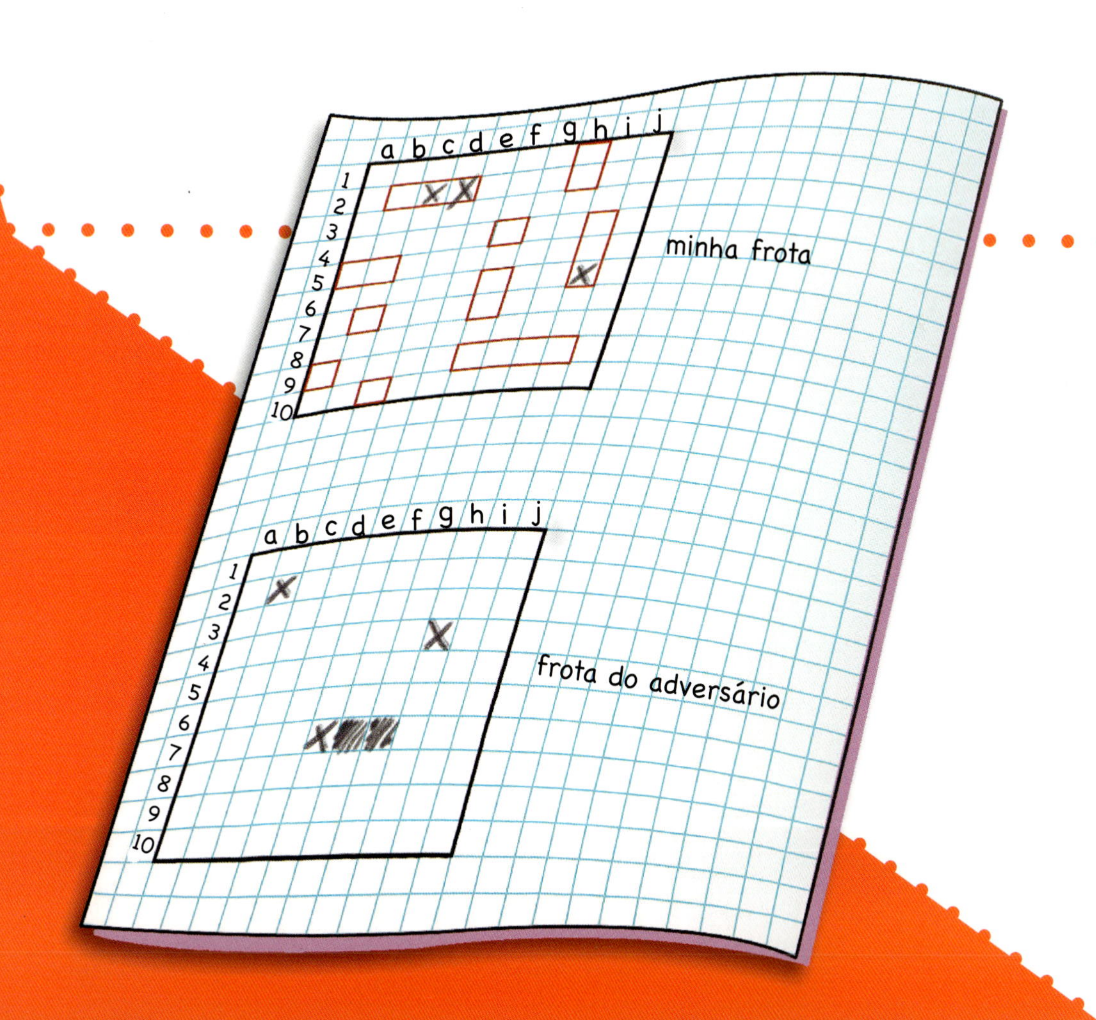

A TERRA E A LUA

Não deixe a Terra encostar na Lua!

Você vai precisar de:

- 2 bolas de tamanhos diferentes (podem ser usadas duas bolas de meia ou dois balões, um mais inflado que o outro)

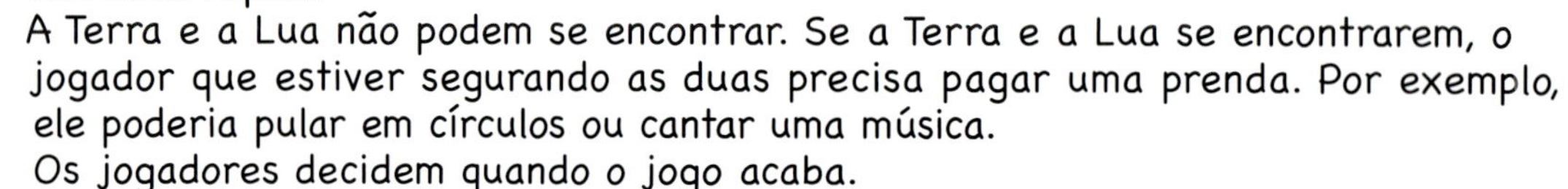

Como jogar:

Todos os jogadores formam um círculo, sentados no chão. A bola maior representa a Terra, e a menor, a Lua.

Um dos jogadores pega a Terra, enquanto o jogador que estiver do seu lado oposto pega a Lua.

Ao sinal de largada, os jogadores passam as bolas para os colegas à direita, que então as passam adiante, também à direita. As duas bolas passam por todos, cada vez mais rápido.

A Terra e a Lua não podem se encontrar. Se a Terra e a Lua se encontrarem, o jogador que estiver segurando as duas precisa pagar uma prenda. Por exemplo, ele poderia pular em círculos ou cantar uma música.

Os jogadores decidem quando o jogo acaba.

ARANHA*

Fuja da aranha!

Como jogar:

Defina duas áreas de jogo separadas por 5 ou 6 metros de distância.
Um dos jogadores é escolhido para ser a aranha. Ele fica entre as duas áreas.
Os demais jogadores ficam onde quiserem, em uma área ou na outra.
A aranha tenta encostar nos jogadores enquanto eles passam. Quando toca em um jogador, ela gruda nele. Os dois se dão as mãos e não podem se soltar. Apenas as mãos livres podem pegar outros jogadores. Portanto, quanto mais jogadores a aranha pegar, mais ela cresce.
Mas atenção: ela só pode pegar os jogadores por trás.
Quando não houver mais jogadores, o último jogador pego se torna a nova aranha.

*Este jogo é famoso na Espanha e é conhecido como "La Arena".

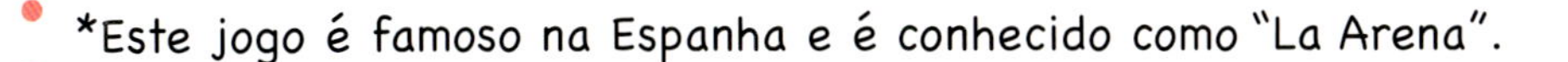

ROLHA

Não seja o último a pegar a rolha.

Você vai precisar de:

- 1 baralho de 32 cartas*
- Algumas rolhas (uma a menos que o número de jogadores)

Como jogar:

O jogo não usa todas as cartas do baralho; usa apenas quatro cartas de mesmo número por jogador. Por exemplo, quatro reis, quatro damas e quatro 10 para três jogadores. Depois de ter embaralhado bem essas cartas, um jogador (o mais velho, por exemplo) distribui quatro cartas para cada jogador. Não tem monte.
As rolhas são colocadas no meio da mesa (uma a menos que o número de jogadores).
Para começar, um jogador (por exemplo, o mais jovem) dá uma das cartas que ele não quer mais para o jogador à sua direita e pega uma do jogador à sua esquerda. O jogador à sua direita faz o mesmo. E assim por diante.
Quando um jogador conseguir ficar com as quatro cartas iguais, ele pega uma rolha, gritando "rolha!". Este é o sinal para que os outros jogadores peguem uma rolha.
O jogador que não conseguir pegar uma é eliminado.
As cartas são distribuídas novamente; antes, porém, é preciso tirar quatro cartas iguais do baralho e uma rolha da mesa. E assim por diante, até que só haja um jogador, que será o vencedor!

*Um baralho de 32 cartas é composto por: 7, 8, 9, 10, valete, dama, rei, ás.

VOVÓ, A SENHORA QUER...*

Seja o primeiro a chegar à casa da vovó!

Como jogar:

Um jogador precisa ser a vovó e ficar em frente a uma árvore ou parede, que vai representar a sua casa durante todo o jogo.
A vovó precisa ficar sempre de costas e nunca olhar para ver o que está acontecendo atrás dela. Os outros jogadores são os netinhos, que ficam a 20 passos dela.
Um jogador de cada vez pergunta: "Vovó, a senhora quer que eu avance um pouco?". Se ela responder: "Não, meu netinho", o jogador não precisa se movimentar e sua vez acaba. No entanto, se ela responder: "Sim, meu netinho", ele deve perguntar: "Quantos passos?".
E a vovó diz o número de passos e como o jogador deve andar, ou seja, se ele vai dar passos de gigante ou de formiga (passos muito pequenininhos) ou de canguru (pulos) ou, ainda, passos para trás. Por exemplo: "cinco passos de formiga", "um passo de gigante", "dois passos de canguru" ou "um passo para trás" etc.
O netinho se movimenta em direção à casa da vovó, fazendo o que ela pediu.

O vencedor é o primeiro jogador a encostar na casa da vovó. Ele se torna então a vovó (ou o vovô, se for um menino)!

*Esta versão do jogo vem diretamente do Canadá.

QUEM SOU EU?

Adivinhe quem você é.

Você vai precisar de:

- Alguns lápis
- Etiquetas adesivas (ou pedacinhos de papel com fita adesiva)

Como jogar:

Antes de começar o jogo, os jogadores definem um tema – por exemplo, o mar.
Então, cada jogador secretamente escreve em um pedacinho de papel uma palavra relacionada ao tema escolhido. No caso de o tema ser o mar, você pode escrever caranguejo, golfinho, castelo de areia, praia, ondas etc.
Cada jogador coloca sua etiqueta na testa de outro jogador, mas sem que este possa vê-la.
Feito isso, todos os jogadores sentam-se no chão em círculo. Eles se revezam para fazer perguntas sobre o que está escrito em suas testas. Por exemplo, sendo mar o tema, um jogador poderia perguntar: "Eu sou um golfinho?". Qualquer jogador pode responder, mas apenas com "sim" ou "não".
Os jogadores continuam tentando adivinhar até que acertem.
O jogo termina quando todos descobrirem quem são.

VARIAÇÃO: Retrato chinês

Adivinhe os pensamentos de outro jogador.

Como jogar:

Nesta versão, um jogador é escolhido para ser o adivinhador.
Ele sai por um momento da sala. Enquanto isso, os outros chegam a um acordo a respeito de um personagem para ele representar; por exemplo, um personagem de desenho animado.
Quando voltar, o adivinhador precisará descobrir qual é o personagem, fazendo perguntas que comecem assim: "Se eu fosse...". Por exemplo:
– E se eu fosse um animal?
Então os outros jogadores poderiam responder:
– Você seria um gato laranja.
– E se eu tivesse uma característica marcante?
– Você seria comilão.
Com essas dicas, espera-se que o jogador reconheça o personagem Garfield!

BOLA SENTADA

Não deixe a bola encostar em você!

Você vai precisar de:

- 1 bola

Como jogar:

No início do jogo, todos os jogadores dão as mãos e fazem um círculo; depois, eles se soltam. O jogador que estiver com a bola deve jogá-la para cima, bem alto. Quando a bola quicar no chão, qualquer jogador pode pegá-la.
Quem pegar a bola precisa ficar parado e jogá-la em outro jogador. Todos os outros tentam fugir da bola.
Se o arremessador conseguir encostar em um colega antes de a bola quicar no chão, esse colega precisa sentar-se onde está. E só pode se levantar se a bola encostar nele de novo.
A bola continua a ser passada de um jogador para outro. Se a bola encostar no chão, qualquer um pode pegá-la e tentar acertá-la em alguém. Se o jogador que estiver sentado no chão pegar a bola, pode atirá-la em outro jogador sentado antes de se levantar.
Quando houver só um jogador em pé, o jogo termina e ele é o vencedor.

JOGO DA VELHA DIFERENTE*

Seja o primeiro a desenhar cinco símbolos em uma linha!

Você vai precisar de:

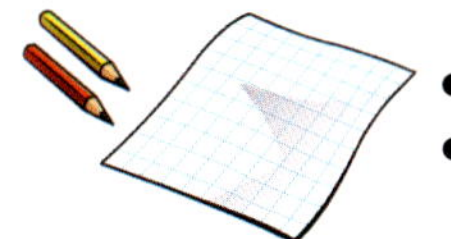

- 1 papel quadriculado
- Alguns lápis

Como jogar:

Um dos jogadores faz um quadrado com 100 quadradinhos (10 x 10). Cada jogador escolhe um símbolo: bolinha ou cruz.

Os jogadores se revezam para desenhar seu símbolo no meio de um quadrado.

O primeiro jogador que conseguir fazer uma linha horizontal, vertical ou diagonal com cinco bolinhas ou cinco cruzes ganha o jogo.

Pequena variação:

Você pode jogar com uma página inteira, sem desenhar o diagrama de 10 x 10 quadrados. Nesse caso, toda vez que um jogador fizer uma linha com cinco bolinhas ou cinco cruzes, ele anula a linha feita e o jogo continua.

O jogo termina quando todos os quadrados da página estiverem preenchidos.

Nesse momento, os jogadores contam quantas linhas cada um desenhou.

Vence o que tiver feito mais linhas.

*Esta é uma versão um pouco diferente da que é conhecida no Brasil como "Jogo da velha".

EMBAIXADORES

Os embaixadores precisam fazer seu time adivinhar o máximo de palavras possível.

Você vai precisar de:

- Folhas de papel
- 1 lápis

Como jogar:

O grupo escolhe um mestre de jogo, que ficará com o papel e o lápis.
Os jogadores formam dois times com o mesmo número de participantes. Os times devem ficar o mais longe possível um do outro.
O mestre do jogo discretamente estabelece uma lista de ações a serem adivinhadas (tantas ações quantos jogadores houver). Cada time escolhe um embaixador.
O mestre do jogo sussurra aos embaixadores a primeira ação da lista. Cada embaixador volta para a sua sede e representa, por meio de mímica, a ação ditada pelo mestre.
Os jogadores do seu time têm que adivinhar a mímica e podem fazer quantas sugestões quiserem. Quem descobrir a ação passa a ser o novo embaixador. Ele rapidamente vai até o mestre do jogo, que sussurra para ele a nova ação a ser adivinhada. E assim sucessivamente, os jogadores fazem mímica e adivinham as ações da lista.
O primeiro time a acertar todas as ações ganha o jogo.

VARIAÇÃO: Pares de mímicos

Ache seu par fazendo mímica.

Você vai precisar de:

- Folhas de papel
- Lápis
- 1 chapéu ou boné

Como jogar:

O grupo escolhe um mestre do jogo, que recorta o papel em pedaços, na quantidade de jogadores.
Em dois pedaços de papel, ele escreve o mesmo par de personagens; em um dos pedaços, ele circula o primeiro personagem e, no outro, o segundo. E assim faz em todos os papéis. Em seguida, os papeizinhos são embaralhados e postos em um chapéu (ou um boné).
Cada jogador pega um pedaço de papel, lê e o guarda no bolso. Então, ao mesmo tempo, cada jogador começa a imitar o personagem circulado no seu pedaço de papel. Enquanto caminham pela sala e fazem mímica, eles precisam tentar reconhecer o jogador que possa ser seu par.
Quando todos os jogadores pensarem que já acharam seu par, devem ficar perto um do outro, mas sem dizer quem são.
Então o mestre do jogo checa se os pares são de fato aqueles que eles pensam ser. O resultado, às vezes, é surpreendente!
Sugestões de personagens: a Bela e a Fera, César e Cleópatra, cantora e pianista, gato e rato, fotógrafo e modelo, pastor e ovelha (que não pode fazer bééé!), *chef* e garçom, professor e aluno, dentista e paciente com dor de dente etc.

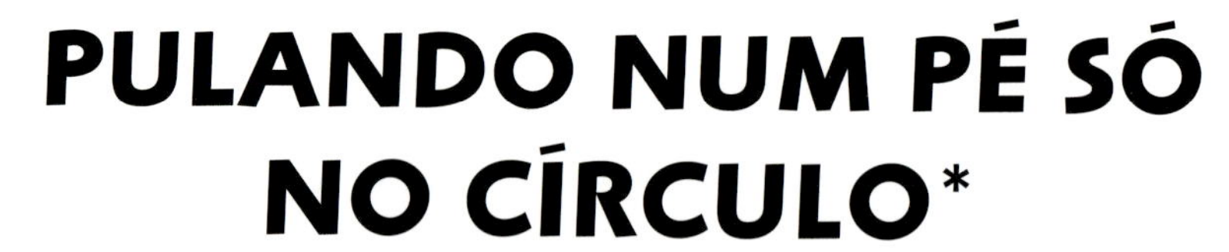

PULANDO NUM PÉ SÓ NO CÍRCULO*

Pule em volta de um círculo.

Como jogar:

Os jogadores em fila formam um círculo com seus pés direitos voltados para o interior do círculo. Cada um coloca sua mão direita no ombro direito do jogador à frente.

Assim, em roda e cantando uma música, os jogadores avançam pulando, com seus pés direitos levantados tocando outros pés direitos no centro da roda.

Não é fácil, mas é bem divertido!

*Este é um jogo tradicional chinês.

MÃOS EM BRASA!

Seja mais rápido que seu adversário.

Como jogar:

Dois jogadores sentam-se de frente um para o outro.
O primeiro estende as mãos, com as palmas para cima. O segundo coloca suas mãos alguns centímetros acima das mãos do adversário, sem tocá-las, com as palmas para baixo. O jogador que tiver suas mãos embaixo precisa tentar tocar as costas das mãos do outro jogador antes que ele as recolha. Você precisa ser bem rápido! Se errar, os lugares serão trocados. A cada vez que o jogador que estiver com as mãos embaixo conseguir tocar as mãos do outro jogador, ele ganha 1 ponto.
O primeiro a conseguir fazer 5 pontos consecutivos vence a partida.
Mas seja bem rápido, pois suas mãos logo vão ficar em brasa!

ACERTE O BALÃO

Faça a bola avançar o mais rápido possível!

Você vai precisar de:

- 1 balão para cada jogador
- Jornal
- Fita adesiva

Como jogar:

Encha os balões e enrole o jornal formando um tipo de bastão. Depois de fixar com fita adesiva, distribua um bastão de jornal para cada jogador.
Juntos, os jogadores definem a pista de corrida dentro da casa, bem como as linhas de partida e de chegada.
Quando tudo estiver pronto, cada um pega seu balão e seu bastão e, ao sinal de largada, avança batendo o balão no ar.
É possível complicar o jogo fazendo o jogador pagar prenda se deixar o balão encostar no chão. Por exemplo, ele pode ficar em um canto e contar até 10 antes de continuar a corrida.

TELEGRAMA SECRETO

Escreva uma mensagem codificada.

Você vai precisar de:

- Lápis
- Papel

E muita imaginação!

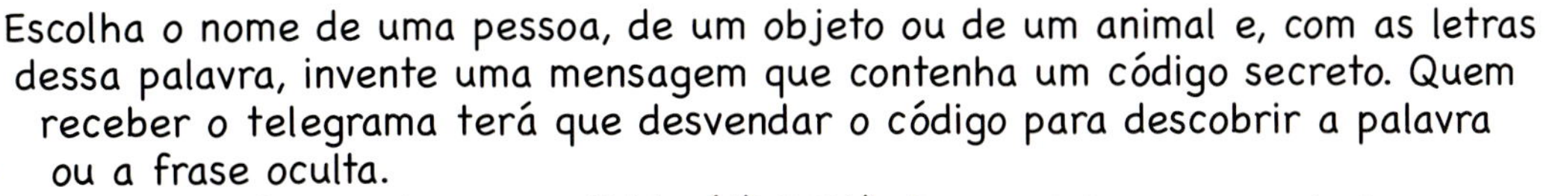

Como jogar:

Escolha o nome de uma pessoa, de um objeto ou de um animal e, com as letras dessa palavra, invente uma mensagem que contenha um código secreto. Quem receber o telegrama terá que desvendar o código para descobrir a palavra ou a frase oculta.

Por exemplo, a palavra escolhida é "MESA". O meu telegrama poderia ser: "Maria Está Sem Abacates". Bem estranho, não? Mas essa é a ideia! Quem receber o telegrama terá que quebrar a cabeça para descobrir o código contido nele. Nesse caso, seria juntar apenas a inicial de cada palavra da frase, desvendando que a palavra secreta é "mesa". Você também pode inventar seus próprios códigos!

TRILHA

Faça o máximo de trilhas possível!

Você vai precisar de:

- Papel quadriculado
- Alguns lápis de cor
- 6 peões de duas cores diferentes (3 de cada cor). Você pode usar 3 pedacinhos de macarrão e 3 feijões, botões, ou pedrinhas pintadas.

Como jogar:

Reproduza um dos tabuleiros abaixo no papel quadriculado.
Depois, você e seu adversário colocam seus peões um a um em uma parte não ocupada entre duas linhas do tabuleiro.
O objetivo é fazer trilhas contínuas.
Quando um peão é colocado no papel, ele só pode ser movimentado se for deslizado por uma linha para a interseção seguinte. Quando três peões forem alinhados, sem interseções vazias ou peões de adversários entre eles, formarão uma trilha.
Cada jogador precisa tentar construir uma trilha e, ao mesmo tempo, impedir o oponente de fazer uma também!
O jogador que construir mais trilhas é o vencedor.
Vocês podem jogar muitas vezes e construir quantas trilhas quiserem!

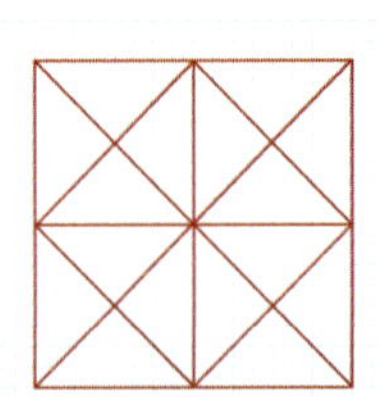

Pequena variação:

Pode-se jogar com cinco ou seis peões por jogador usando o seguinte tabuleiro:

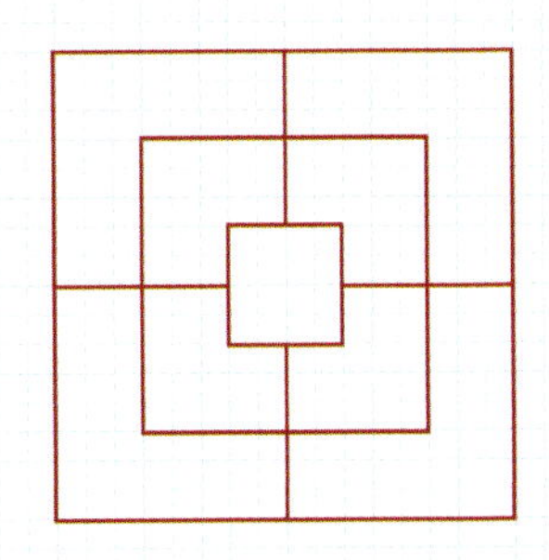

E com nove peões por jogador usando o seguinte tabuleiro:

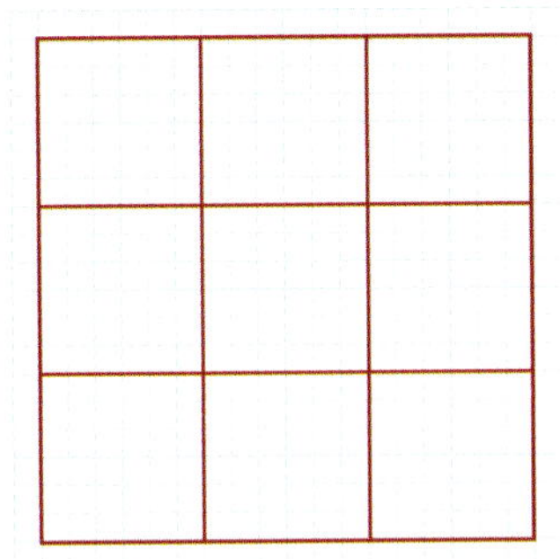

Neste caso, as regras do jogo são as mesmas que as anteriores. Contudo, quando um jogador fizer uma trilha, ele simplesmente pegará um dos peões do adversário. Perde o jogo quem ficar com apenas dois peões, uma vez que não conseguirá mais fazer trilhas.

VENHAM, MEUS PINTINHOS*

Alcance a mamãe galinha sem ser pego pela raposa!

Você vai precisar de:

- Uma área bem grande para brincar

Como jogar:

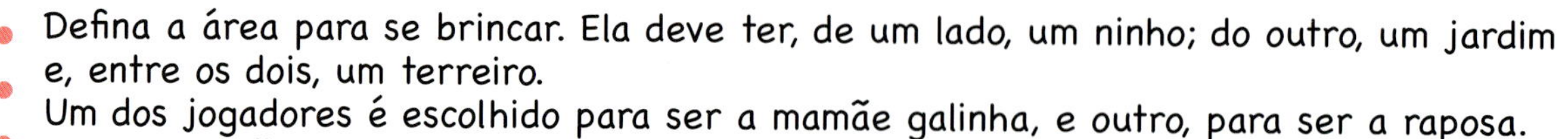

Defina a área para se brincar. Ela deve ter, de um lado, um ninho; do outro, um jardim e, entre os dois, um terreiro.
Um dos jogadores é escolhido para ser a mamãe galinha, e outro, para ser a raposa. Os demais são os pintinhos.
A mamãe galinha descansa no ninho, os pintinhos ficam em fila no jardim e a raposa fica na área do meio, no terreiro. A mamãe galinha grita para os seus pintinhos:
– Venham, meus pintinhos!
– Nós não nos atrevemos! – respondem eles em coro.
– Por que não? – pergunta ela.
– Por causa da raposa! – gritam os pintinhos.
– Não fiquem com medo; venham assim mesmo! – continua a mamãe galinha.
Esse é o sinal para que os pintinhos corram para a mamãe galinha no ninho. Os pintinhos que conseguirem chegar até ela estão salvos e podem voltar para o jardim na rodada seguinte. Já os que forem pegos pela raposa se tornam raposas na rodada seguinte.
E assim o jogo continua com cada vez menos pintinhos e mais raposas. A mamãe galinha fica quietinha em seu ninho durante todo o jogo.
O último pintinho a ser pego se torna a mamãe galinha; e o primeiro, a raposa.

*Este é um jogo escandinavo muito comum em parquinhos.

BOLICHE

Ganhe o máximo de pontos que conseguir!

Você vai precisar de:

- 10 pinos de boliche
- 1 bola

Como jogar:

Se você não tiver pinos de boliche em casa, use dez garrafas de plástico, que podem ser diferentes umas das outras.

Posicione as garrafas na vertical, formando um triângulo.

A cinco passos largos das garrafas, desenhe uma linha; não se pode ultrapassá-la ao atirar a bola.

Os jogadores se revezam para rolar a bola em direção aos pinos e derrubar a maior quantidade de pinos possível.

Para cada pino derrubado, o jogador ganha 5 pontos. Se conseguir derrubar todos os pinos de uma vez só, o jogador ganhará 100 pontos!

O jogo dura várias rodadas, definidas antes de seu início.

No final do jogo, quem tiver mais pontos é o vencedor.

POMBO VOA

Evite cair na armadilha.

Como jogar:

O grupo escolhe um mestre do jogo. Os demais jogadores se sentam à frente.
O mestre escolhe um substantivo que seja associado, ou não, ao verbo "voar". Por exemplo, ele escolhe "avião" e diz: "O avião voa". Ao mesmo tempo que diz isso, levanta uma mão. Imediatamente, os jogadores precisam decidir se levantam ou não suas mãos. Se eles acharem que o que o mestre disse é verdade, têm que levantar as mãos. Contudo, se acharem que não é, eles não devem levantar as mãos.
Por exemplo, se o mestre do jogo diz "o carro voa" e levanta a mão, para não caírem na armadilha, os jogadores não levantam suas mãos.
O mestre do jogo faz suas afirmações bem depressa, e os outros jogadores têm que reagir o mais rápido possível.
Quando cometer três erros, o jogador é eliminado.
Vence o último jogador que restar.

Pequena variação:

O mestre pode também usar "a sardinha nada", ou "o barco flutua" ou "a bola rola", e assim por diante.

KEMS

Faça o máximo de kems possível.

Você vai precisar de:

- 1 baralho de 32* ou 52 cartas

Como jogar:

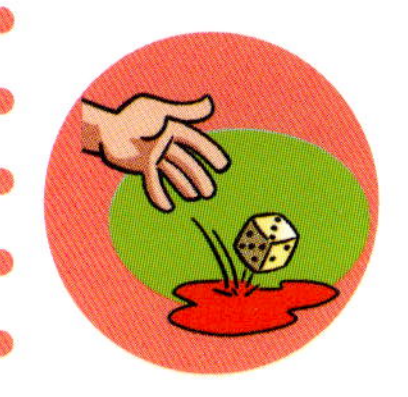

Kems é um grupo de quatro cartas de mesmo valor. Por exemplo, quatro reis.
Quatro jogadores formam dois times de dois jogadores.
Antes de começar, cada time combina secretamente um gesto ou sinal para comunicarem quando tiverem um kems. Os participantes sentam-se em volta de uma mesa, com os jogadores do mesmo time de frente um para o outro.
Um deles (o mais velho, por exemplo) distribui quatro cartas para cada jogador e coloca outras quatro cartas na mesa com a face para cima. As cartas não distribuídas formam um monte.
Os jogadores não mostram as cartas que têm em mãos, nem mesmo para o jogador de seu time.
O jogo deve seguir no sentido horário. Na sua vez, o jogador pega uma carta da mesa (preferencialmente, a que pode ajudá-lo a formar um kems) e descarta uma de sua mão.
A cada rodada, os jogadores podem pegar várias cartas ou nenhuma. O importante é que eles sempre respeitem a regra: "se pegar uma carta, tem que descartar outra".
Após uma rodada completa, as quatro cartas que estiverem viradas para cima na mesa são trocadas por outras quatro cartas do monte. Então os jogadores fazem outra rodada.
Quando tiver um kems, o jogador faz, da forma mais discreta que conseguir, um sinal para o parceiro, que grita "kems!" ou "dois kems!", se o outro jogador também tiver conseguido formar um, e então seu time ganha um ponto por cada kems formado.
Os jogadores do outro time devem tentar se antecipar e separar os kems gritando "bust!" ou "dois busts!", se eles acharem que há um kems ou dois kems sendo formados. Se isso ocorrer, os adversários não podem usar a carta que estavam pegando da mesa.
Quando um dos jogadores formar um kems, ele ganha outras quatro cartas e o jogo recomeça de onde pararam.
O jogo termina quando acabarem as cartas do monte. Ganha o jogo o time que fizer o maior número de kems no final.

*Um baralho de 32 cartas é composto por: 7, 8, 9, 10, valete, dama, rei, ás.

SOMA DE DOMINÓS

Coloque o dominó certo na hora certa!

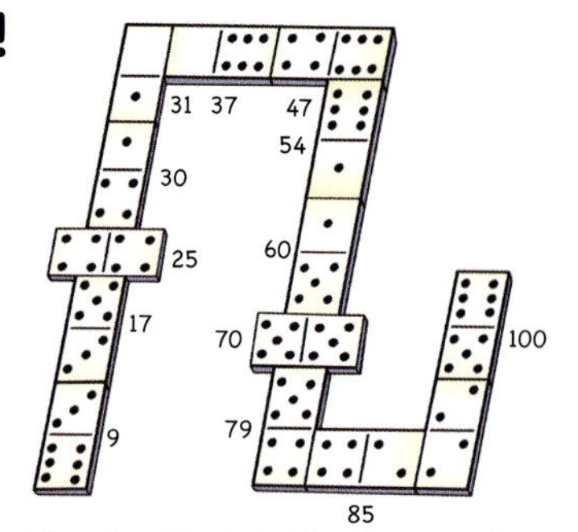

Você vai precisar de:

- 1 caixa de 28 dominós
- Papel
- Lápis

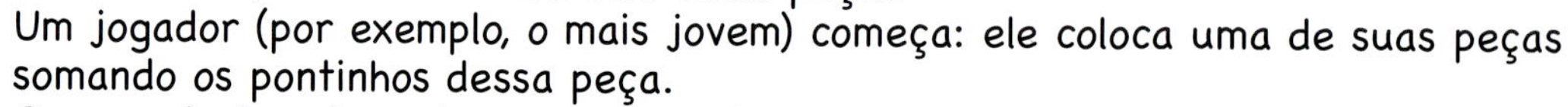

Como jogar:

Distribua os dominós pelo número de jogadores. Por exemplo: se houver três jogadores, cada um recebe oito dominós; se houver quatro, cada um recebe seis; se houver cinco, cada um ficará com cinco peças.
Um jogador (por exemplo, o mais jovem) começa: ele coloca uma de suas peças somando os pontinhos dessa peça.
O segundo jogador coloca sua peça de acordo com as regras comuns do dominó, ou seja, com uma metade igual à do dominó já colocado. Ele conta os pontinhos de sua peça e os adiciona ao total da peça anterior.
O jogador seguinte faz o mesmo: cada jogador coloca sua peça, contando os pontinhos e dizendo o total obtido.
Quando um jogador conseguir exatamente o total de 30, 50, 70 ou 100, ele ganhará 10 pontos, que deverão ser anotados em um papel.
O primeiro jogador que fizer 50 pontos será o vencedor.

Caso não tenha dominós em casa, você pode criar os seus. Com a ajuda de um adulto, recorte 28 pequenos retângulos de papelão com 5 cm de comprimento por 2,5 cm de altura. Depois, desenhe as 28 combinações possíveis (de 0/0 a 6/6) com uma canetinha preta.

MATADOR DE MOSCAS

Ganhe as bolinhas dos outros jogadores.

Você vai precisar de:

- Algumas bolinhas de gude
- Uma parede
- Fita-crepe

Como jogar:

Trace uma linha de partida com a fita-crepe a cerca de três ou quatro passos largos de distância de uma parede.
O primeiro jogador lança sua bolinha com força suficiente para que ela bata na parede e volte um pouco; e deve deixá-la onde ela parar.
Na sequência, o segundo jogador lança sua bolinha em direção à parede, mas tentando fazer com que ela encoste na bolinha do outro jogador no seu caminho de volta (ou seja, depois de ter batido na parede). Se essa bolinha, na volta, encostar na outra, o segundo jogador tem direito de pegá-la. Senão, deve deixá-la onde ela parou, e é a vez do outro jogador lançar sua bolinha, tentando encostar na do outro colega quando voltar.
Vence quem conseguir capturar mais bolinhas.

VARIAÇÃO: O retorno

Joga-se do mesmo jeito, mas, desta vez, depois que forem jogadas, as bolinhas são deixadas onde pararem.
Quando todos os jogadores tiverem lançado suas bolinhas, eles olham para os resultados.
O jogador cuja bolinha estiver mais afastada da parede ganha o jogo.

GORODKI*

Mova o máximo de gorodkis possível para ganhar pontos!

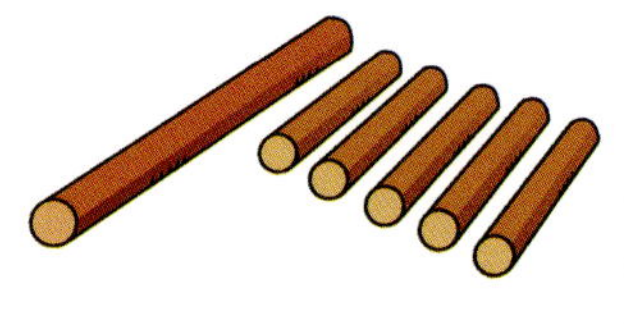

Você vai precisar de:

- 5 toquinhos de madeira de 20 cm (chamados de "gorodkis")
- 1 pau de 50 cm
- 1 pedaço de giz

E o principal: uma área grande para jogar

Como jogar:

Primeiramente, delimita-se a área de jogo.
Um quadrado de 1 m de lado é desenhado no chão com o giz. A uns 5 metros do quadrado, desenhe uma linha, que será a linha de lançamento. Coloque os gorodkis no meio do quadrado, de acordo com o formato do diagrama escolhido.
Todos os jogadores têm cinco lances para "quebrar" a forma.
O primeiro jogador fica na linha de 5 metros e dá o primeiro lance: ele atira o pau em direção ao quadrado. Se conseguir mover os cinco gorodkis no primeiro lance, o jogador seguinte pode jogar. Caso contrário, ele joga de novo. Ele pode jogar o pau enquanto houver gorodkis que não foram tocados. Por exemplo, se tocar três gorodkis, ele ainda terá dois para tocar; nesse caso, pode jogar mais duas vezes.

Formatos dos gorodkis:

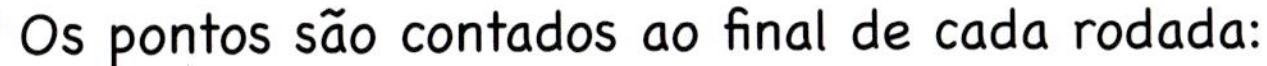

Os pontos são contados ao final de cada rodada:

- Se o jogador encostar nos cinco gorodkis no primeiro lance, ganha 10 pontos.
- Senão, seus pontos serão iguais ao número de gorodkis que ele tocou após jogar todos os seus lances.

Por exemplo:

O jogador move dois gorodkis em seu primeiro lance. Ele tem mais três para encostar, ou seja, ele ainda tem três lances. Vamos imaginar que, após esses três lances, ele consiga tocar em mais dois gorodkis. Isso dá um total de quatro gorodkis tocados; nesse caso, ele faz 4 pontos.

Observação:

Pode-se brincar um jogo longo com todos os formatos (um após o outro) ou limitar o jogo a alguns deles – ou, ainda mais simples, usando apenas um.

*Este jogo é muito popular na Rússia. No original, a área de jogo é muito maior e os jogadores têm apenas dois lances em cada rodada.

Na falta de toquinhos de madeira, use latas de refrigerante cheias de areia e firmemente fechadas com fita adesiva.

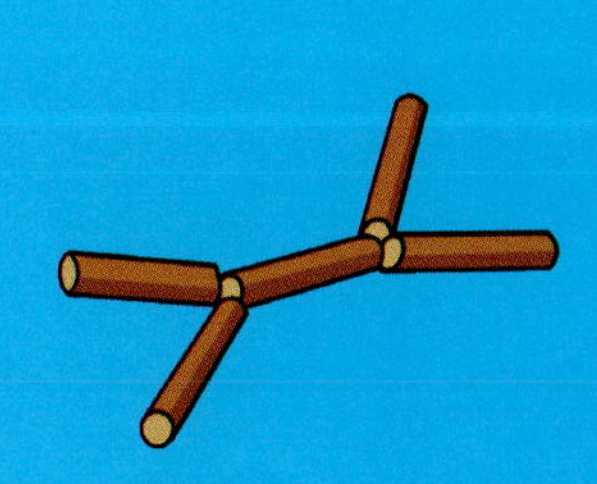

PALAVRA NAS COSTAS

Adivinhe a palavra escrita em suas costas.

Como jogar:

Escolhe-se o mestre do jogo.
Os demais jogadores se dividem em dois times e formam duas filas.
O mestre sussurra para o último jogador de cada fila a mesma palavra. Esses jogadores, com seus dedos, escrevem a palavra nas costas do penúltimo colega da fila, sem dizer nada! Este jogador precisa passar adiante a palavra que entendeu, escrevendo-a nas costas do jogador à sua frente.
Isso deve ser feito até que a palavra chegue ao primeiro jogador da fila, que precisa sussurrá-la no ouvido do mestre do jogo.
O primeiro time a descobrir a palavra certa ganha o jogo.

Pequena variação:

Se forem apenas dois jogadores, não há necessidade de um mestre. Eles decidem quem vai começar; esse jogador pensa em uma palavra e a escreve nas costas do outro participante.
Assim que ele adivinhar a palavra, os dois trocam de função.

SEGURA BOLA

Não perca a bola!

Você vai precisar de:

- 1 bola

Como jogar:

Todos os jogadores formam um círculo dando as mãos; ao soltá-las, dão três passos para trás.

Um jogador pega a bola e a joga para um de seus vizinhos, marcando, com isso, a direção da bola. A bola é jogada desse jeito de um jogador para outro, sempre na mesma direção.
Na primeira vez em que um jogador perder a bola, ele terá que se ajoelhar e continuar jogando desse jeito. Se perdê-la novamente, deve se sentar. Da terceira vez, é eliminado. Ele continua ocupando seu lugar, mas fica sem jogar.

Pequena variação:

Pode-se definir um mestre do jogo que mude a direção da bola de tempos em tempos dizendo: "Mudança de direção!".
Se alguém cometer um erro, terá que pagar uma prenda: se estiver em pé, deve se ajoelhar; se estiver ajoelhado, tem que se sentar; se estiver sentado, é eliminado!

POLÍCIA E LADRÃO

A polícia precisa capturar os ladrões... mas os ladrões podem escapar!

Como jogar:

Os jogadores formam dois times – um de policiais e outro de ladrões – com o mesmo número de integrantes.

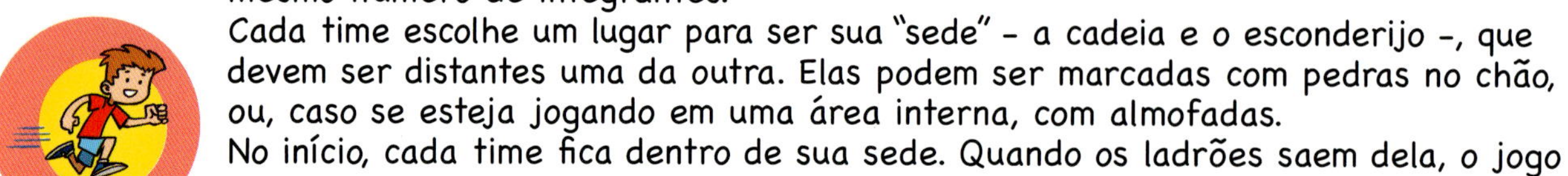

Cada time escolhe um lugar para ser sua "sede" – a cadeia e o esconderijo –, que devem ser distantes uma da outra. Elas podem ser marcadas com pedras no chão, ou, caso se esteja jogando em uma área interna, com almofadas.

No início, cada time fica dentro de sua sede. Quando os ladrões saem dela, o jogo começa.

Os policiais tentam capturar os ladrões, que correm em todas as direções!

Os ladrões podem voltar para o abrigo de sua sede, já os policiais não. No entanto, não é permitido haver mais que três ladrões no esconderijo ao mesmo tempo, senão eles vão direto para a cadeia.

Quando um policial pega um ladrão, ele vai para a cadeia, que fica dentro da sede dos policiais. O ladrão preso pode tentar fugir. Para isso, ele precisa da ajuda de um ladrão em liberdade, o qual tem que se aproximar e tocar a mão do amigo preso, que deve ter um dos pés dentro da cadeia e outro fora.

Se todos os prisioneiros derem as mãos ao mesmo tempo, formando uma corrente, todos estarão livres!

O jogo termina quando todos os ladrões forem capturados.

VARIAÇÃO: Cossacos e ladrões*

Os cossacos precisam capturar os ladrões... mas eles podem escapar!

Como jogar:

Como no jogo Polícia e ladrão, dois times devem ser formados: um de cossacos e um de ladrões.

Os ladrões não têm uma sede, portanto não têm um local onde possam ficar seguros; cada jogador vai e se esconde separadamente.

Quando todos os ladrões estiverem escondidos, os cossacos saem à procura deles, deixando um guarda para vigiar a prisão.

Quando um ladrão é capturado, os cossacos o levam para a prisão, onde está o vigia. Claro, os ladrões presos podem fugir, assim como no jogo anterior, se um ladrão livre chegar e tocar a mão do ladrão preso, que deve estar com um dos pés para fora da prisão dos cossacos. Os outros prisioneiros também são libertados se, naquele momento, estiverem de mãos dadas, formando uma corrente. Nesse caso, os cossacos têm que correr bem rápido para pegá-los novamente!

O jogo termina quando todos os ladrões estiverem na prisão.

Então, os times trocam de lugar e o jogo começa novamente!

*Esta é a versão russa do jogo francês "Polícia e ladrão".

ADIVINHE SE PUDER

Adivinhe quantos dedos estão sendo mostrados!

Como jogar:

Dois jogadores sentam-se de frente um para o outro.
Ambos colocam suas mãos nas costas. Então mostram suas mãos ao mesmo tempo, indicando certo número de dedos (ou nenhum – neste caso, eles mostram seus punhos cerrados), e dizem um número (de 1 a 10).
Se o número total de dedos mostrados for o mesmo que foi dito por um dos jogadores, este jogador ganha 1 ponto.
Ganha-se a partida com 5 pontos.
O jogo é bem rápido.

JOGO DO PORCO

Seja o primeiro a desenhar um porco.

Você vai precisar de:

- 1 dado
- Papel
- Lápis

Como jogar:

Cada jogador pega um pedaço de papel e um lápis.
Eles se revezam para jogar o dado, que definirá qual parte do porco poderão desenhar.
Isto é: cada parte do corpo corresponde a um número do dado: o número 1 corresponde ao rabo; o 2, a uma orelha; o 3, à cabeça; o 4, a uma perna; e o 6, ao corpo. O número 5 não permite que o jogador desenhe.
Assim, se tirar o 1, o jogador desenha o rabo. Se tirar outra vez o 1, ele não desenha nada. Se, por exemplo, ele tirar o 2, deve desenhar uma orelha; nesse caso, ele precisará tirar novamente o 2 para poder desenhar a outra orelha. O mesmo vale para as pernas, que podem ser desenhadas quando se tirar quatro vezes o 4.
No entanto, os jogadores só podem começar a desenhar o porco pelo corpo. Isto é, eles precisam tirar o 6 para começar a jogar!
Vence quem primeiro terminar de desenhar seu porco. Mas isso não será nada fácil!

SOLTEIRONA

Não fique com a solteirona nas mãos.

Você vai precisar de:

- 1 baralho de cartas: 32* se forem três jogadores ou 52 se forem mais de três jogadores

Como jogar:

Retire todas as damas do baralho, com exceção da dama de espadas, que é a solteirona.

Depois, todas as cartas são distribuídas aos jogadores (mesmo que a divisão seja desigual). Cada jogador organiza suas cartas de acordo com o naipe, a cor e o valor e as coloca na mesa em pares: essas cartas não farão mais parte do jogo. Por exemplo, dois 10 pretos fazem um par (paus e espadas), e o 10 de ouros e o 10 de copas fazem outro. Contudo, o 10 de paus não faz par com o 10 de ouros, pois são de cores diferentes.

Quando todos os pares já tiverem sido feitos e postos na mesa, os jogadores precisam trocar de cartas.

Um jogador começa (o mais jovem, por exemplo). Ele pega as cartas do jogador à sua direita, que mostra suas cartas em leque com os valores voltados para si. Se a carta que ele pegar fizer par com uma de suas cartas, então ele põe o novo par em seu monte. Senão, ele embaralha as cartas em suas mãos e apresenta-as ao jogador à sua esquerda, que pega uma delas.

Assim, um após o outro, os jogadores pegam cartas dos jogadores à sua esquerda, sempre indo na mesma direção.

O último jogador a ficar com a solteirona perde o jogo!

*Um baralho de 32 cartas é composto por: 7, 8, 9, 10, valete, dama, rei, ás.

VARIAÇÃO: Famílias

Faça o máximo de famílias possível.

Como jogar:

Cada jogador recebe cinco cartas e pode vê-las sem mostrá-las aos outros.
As cartas não distribuídas formam o monte, que é posto em cima da mesa.
Os jogadores precisam formar famílias de quatro cartas, que seriam os quatro número 10, os quatro reis, e assim por diante.
Os jogadores podem pedir cartas a qualquer outro jogador. Por exemplo: "Você tem o valete de copas?". Se o outro jogador tiver a carta em suas mãos, ele a cede para quem a pediu e pede a outro jogador uma outra carta. Se o jogador a quem a carta foi solicitada não a tiver nas mãos, ele diz "monte", e o outro jogador precisa comprar uma carta do monte.
E assim continua o jogo. Os jogadores se revezam ao pedir cartas e formar famílias.
Quando conseguir formar uma família, o jogador coloca as quatro cartas na mesa e continua jogando.
O jogo termina quando não houver mais cartas no monte. O jogador que tiver formado mais famílias é o vencedor.

AR, TERRA, MAR

Dar a resposta correta sem errar!

Você vai precisar de:

- 1 bola pequena

Como jogar:

Um mestre do jogo é escolhido. Ele fica em frente aos jogadores, que se sentam no chão à sua frente, em um semicírculo. Sem seguir uma ordem, ele joga a bola para um dos jogadores, dizendo "ar", "terra" ou "mar".

O jogador precisa pegar a bola e jogá-la de volta, dizendo o nome de um animal ou objeto que seja encontrado no ambiente que o mestre citou. Por exemplo, se o mestre disser "ar", o jogador precisa responder o nome de um animal ou objeto que é encontrado no ar. Se ele errar ou demorar demais para responder, será eliminado (é preciso combinar o tempo limite de espera antes de começar o jogo). Vence o último jogador que sobrar.

HUL-GUL*

Tenha o máximo de pedras possível em suas mãos.

Você vai precisar de:

- 10 pedrinhas por jogador (podem ser usados 10 feijões ou botões)

Como jogar:

Cada jogador pega dez pedras.
Aquele que for escolhido para começar vira de costas para os demais jogadores e divide as pedras entre suas mãos da forma que quiser. Feito isso, ele mostra uma de suas mãos para um adversário, com seu punho bem fechado, e pergunta:
– Quantas pedras eu tenho nesta mão?
O outro jogador precisa adivinhar o número exato de pedras que há na mão. Ele diz um número entre 1 e 10. O primeiro jogador abre sua mão para revelar o resultado. Se o jogador sugeriu um número maior que o número de pedras que há na mão, ele dá ao seu adversário a diferença. Por exemplo, há seis pedras na mão e ele disse que havia oito; então, ele precisa dar duas pedras para o jogador com as pedras na mão. Se sugerir um número menor, ele precisa dar metade das pedras que tiver naquele momento. No caso de o total de pedras ser um número ímpar, ele cede a menor parte ao outro. Por exemplo, se o segundo jogador tiver sete pedras, ele dá três. Se o jogador tiver apenas uma última pedra, ele a cede. E, nesse caso, perde o jogo! Se adivinhar o número correto de pedras, ele ganha as pedras que estavam na mão do outro jogador.

Na rodada seguinte, outro jogador precisa adivinhar quantas pedras o segundo jogador tem na mão.
O jogo termina quando um dos jogadores não tiver mais pedrinhas. Quem tiver mais pedras será o vencedor.

*Esta brincadeira é feita nos parquinhos da Holanda.

O MESTRE MANDOU

Faça o que o mestre mandar!

Como jogar:

Alguém é escolhido para ser o mestre. Ele dará ordens aos outros jogadores, dizendo: "O mestre mandou...", e também as executará. Por exemplo, ele pode dizer: "O mestre mandou levantar a perna direita" - e o mestre também levanta a perna direita. Nesse caso, todos os jogadores precisam levantar a perna direita. Contudo, se o mestre disser: "Coloquem o dedo no nariz", os jogadores não devem se mexer, porque o mestre não mandou!
O mestre pode também enganar os jogadores fazendo coisas que ele não os mandou fazer! Então, tome cuidado para não ser pego!
O jogo não tem limite e depende da imaginação da pessoa que for o mestre.

Pequena variação:

O jogo pode ser adaptado para outros nomes. Por exemplo, no Natal, você pode dizer: "Papai Noel mandou...". Ou, para ser ainda mais divertido, podem-se usar membros da família: "Vovó Maria mandou...".

QUE HORAS SÃO, SEU LOBO?*

Evite ser comido pelo Seu Lobo.

Você vai precisar de:

- Um espaço grande
- Uma parede

Como jogar:

Defina uma longa linha de partida de um lado da área oposta à parede.
Um jogador é escolhido para ser o Seu Lobo. Ele fica em pé contra a parede, de costas para os outros jogadores.
Os jogadores gritam: "Que horas são, Seu Lobo?". O lobo responde qualquer hora que lhe vier à mente. Por exemplo, ele pode responder: "São 8 horas".
Então, as crianças devem dar oito longos passos adiante, contando em voz alta até oito. Seu Lobo precisa ficar de frente para a parede, sem olhar para trás.
Os jogadores perguntam novamente: "Que horas são, Seu Lobo?". E ele dá outra resposta, por exemplo: "São 4 horas". E assim o jogo segue, o lobo diz as horas, e os jogadores andam rumo à parede.
Quando achar que os jogadores estão mais perto dele, Seu Lobo responde: "Está na hora do jantar!". E começa a correr atrás dos jogadores, que tentam fugir dele. O jogador que ele conseguir pegar vira o novo lobo!

*Este jogo vem da Inglaterra, onde é muito popular em parquinhos.

BOLA COM AÇÃO

Não erre, senão perde a bola!

Você vai precisar de:

- 1 parede
- 1 bola

Como jogar:

Os jogadores formam dois times.
Um jogador de um dos times pega a bola e fica de frente para a parede, iniciando o jogo. Ele precisa jogar a bola contra a parede dez vezes e pegá-la de volta, enquanto um jogador do outro time fala em voz alta o que ele deve fazer. Se ele cometer um erro ou deixar a bola cair, seu time não ganha pontos.
Exemplos do que pode ser ordenado ao jogador enquanto ele joga a bola na parede: ficar em pé apoiado apenas no pé direito, ou pegar a bola somente com a mão esquerda, ou cantar uma cantiga de roda enquanto joga ou jogar com uma das mãos atrás das costas, e assim por diante.
O mais divertido é que as ideias surgem bem rápido! Se isso não acontecer, dê uma olhada na lista das 12 ações para ter algumas ideias.

VARIAÇÃO: Jogo de bola com 12 ações

Não esqueça nenhuma ação!

Esta é outra versão do jogo.
Você também vai precisar de uma bola e uma parede.

Como jogar:

Nesta versão, pode-se brincar sozinho.
De frente para uma parede, você joga a bola fazendo 12 ações o mais rápido que puder.
Quando há vários jogadores, cada um deles, em sua vez, tenta fazer as 12 ações sem cometer erros. Cada ação completada vale 1 ponto. Quem cometer um erro perde a sua vez e passa a bola para o jogador seguinte.
O jogador que conseguir completar mais ações será definitivamente o melhor neste jogo!

12 ações:
Lance de teste: Jogue e pegue a bola como quiser.
A estátua: Seus pés não podem se mexer enquanto você joga e pega a bola.
A mão direita: Jogue e pegue a bola com a mão direita.
A mão esquerda: Jogue e pegue a bola com a mão esquerda.
O pé direito: Jogue e pegue a bola apoiado apenas no pé direito.
O pé esquerdo: Jogue e pegue a bola apoiado apenas no pé esquerdo.
O matador de moscas: Bata palmas uma vez antes de pegar a bola.
A oraçãozinha: Pegue a bola com um joelho no chão.
A voltinha: Dê uma volta antes de pegar a bola.
A voltona: Dê duas voltas antes de pegar a bola.
O cesto de frutas: Pegue a bola em sua camiseta ou saia.
A boca do lobo: Jogue a bola por baixo de uma das suas pernas.

POR FAVOR, SEU CROCODILO, NÓS PODEMOS ATRAVESSAR O RIO?*

Tenha as cores certas para evitar ser pego!

Como jogar:

Os jogadores definem a área em que vão jogar.
Um jogador é escolhido para ser o crocodilo. Ele fica no meio da área enquanto os demais ficam em uma das margens. Em coro, eles perguntam: "Por favor, Seu Crocodilo, nós podemos atravessar o rio?".
"Sim", responde o crocodilo, "mas só se vocês estiverem vestindo... vermelho" (ou qualquer outra cor).
Os jogadores que estiverem vestindo roupas daquela cor ou roupas com algum detalhe (um botão, uma listra, a gola) na cor podem atravessar o rio sem ser importunadas. Os que não estiverem vestindo a cor têm que chegar à outra margem sem ser tocados pelo crocodilo.
Aqueles que forem tocados passam a unir forças com o crocodilo para também tocar os outros jogadores.
Quando todos os jogadores tiverem chegado ao outro lado do rio, o crocodilo diz uma cor diferente, e o jogo continua. Desta vez, ele é ajudado pelos jogadores que já tiverem sido tocados.
O último jogador pego ganha o jogo.

*Este jogo é muito popular na Bélgica. Nesse país o crocodilo é substituído por um peixe.

BALÃO VOADOR

Não deixe o balão encostar no chão!

Você vai precisar de:

- 1 balão inflável

Como jogar:

Quando o balão estiver cheio, um dos jogadores o lança para cima, com força.
Os jogadores devem soprar o balão para mantê-lo no ar e fazê-lo flutuar, com as mãos atrás de suas costas. Eles não podem encostar seus pés ou mãos no balão. Apenas quando ele cair no chão é que pode ser pego e posto de volta no jogo.
Não há vencedores ou perdedores; todos se divertem juntos jogando contra o balão atrevido que insiste em querer aterrissar no chão!

CAÇA AO TESOURO

Encontre o máximo de tesouros possível o mais rápido que puder.

Você vai precisar de:

- Algumas folhas e uma caneta
- Vários objetos que você possa encontrar dentro de casa ou no jardim

Como jogar:

Um mestre do jogo é escolhido e deverá fazer uma lista dos tesouros. Se o jogo acontecer dentro de casa, o mestre pode colocar estes itens na lista:

- 2 colheres de chá
- 5 rolos de papel higiênico
- 8 pedaços pequenos de pão
- 3 chinelos
- 4 canetinhas de cores diferentes
- 1 caneta esferográfica azul
- 1 livro de receitas
- 2 pares de meia
- 1 revista
- 3 escovas de dente etc.

Se o jogo acontecer ao ar livre, a lista pode ser assim:

- 1 regador
- 4 pedras
- 3 folhas de árvore
- 2 flores diferentes
- 5 pedaços de madeira
- 1 vaso de plantas
- 1 bola
- 6 bolas de gude etc.

- Os jogadores são divididos em dois times (de um ou mais jogadores, dependendo do número de pessoas).
- O mestre do jogo esconde todos os itens, dá uma lista para cada time e o sinal de partida.
- Os jogadores partem em busca dos tesouros. Quando o mestre do jogo decidir que a caça ao tesouro acabou, os times precisam trazer o que encontraram.
- O mestre conta os tesouros. Cada objeto dá ao time 1 ponto.
- O time que juntar mais pontos vence a caça ao tesouro.

GATO E RATO

O gato precisa pegar o rato!

Como jogar:

Um jogador é escolhido para ser o rato. Todos os outros jogadores se dão as mãos e formam um círculo. Eles ficam em pé.
O rato rodeia o círculo e escolhe o gato ao dar uma batidinha no ombro de um jogador. Então o ratinho começa a correr em todas as direções, passando por baixo dos braços dos outros jogadores para fugir do gato.
O gato precisa perseguir o rato passando pelos mesmos lugares pelos quais ele passou e fazendo as mesmas coisas. Por exemplo, se o rato estiver cantando uma música, o gato precisa persegui-lo enquanto canta a mesma música. Se ele cometer um erro, o rato ganha.
Se o rato for pego, ele se junta aos outros jogadores no círculo, e o gato se torna o novo rato.
E assim o jogo continua.

VARIAÇÃO: Labirinto

O gato precisa capturar o rato sem se perder no labirinto!

Como jogar:

Nesta versão, as coisas ficam um pouco mais complicadas. É preciso ter música e alguém para controlá-la.
Um jogador é escolhido para ser o rato. Os outros formam filas com, pelo menos, três jogadores, dando as mãos. As filas precisam ter entre elas um passo largo de distância.
Os jogadores cantam uma cantiga de roda. O rato começa a passar pelas filas e bate no ombro de um jogador para que ele seja o gato, que, então, começa a correr atrás do rato. Quando a música para, os jogadores soltam as mãos, viram 90° à direita e dão as mãos aos jogadores mais próximos, formando, assim, um novo labirinto. O gato e o rato precisam continuar a perseguição mudando sua rota.
Mas atenção! Até que um gato seja escolhido, o rato só poderá se mover entre as fileiras do labirinto. Quando o gato for escolhido, tanto ele quanto o rato poderão passar por baixo dos braços dos outros jogadores!
Quando o gato pega o rato, um novo gato e um novo rato são escolhidos. Então eles partem em outra perseguição pelo labirinto.

QUEM É?

Evite ser desmascarado!

Você vai precisar de:

- 1 bola de meia

Como jogar:

Um inspetor é escolhido entre os jogadores. Ele fica em pé olhando para a frente, sem se mexer.
Todos os outros jogadores se posicionam atrás dele e começam a jogar bola entre si, até que um deles decide jogá-la no inspetor. Então, o inspetor deve virar e dizer qual jogador o acertou com a bola.
Se for desmascarado, o jogador vai para o lugar do inspetor. Senão, o inspetor continua sendo a mesma pessoa até descobrir quem o atingiu com a bola.

VARIAÇÃO: Rainha, rainha*

A rainha precisa desmascarar o jogador que estiver com a bola!

Como jogar:

Esta é outra versão de Quem é?, só que o jogo funciona de maneira oposta.
Um dos jogadores é escolhido para ser a rainha (ou o rei, se for um menino). A rainha pega a bola e fica de costas para os outros jogadores e joga a bola sobre seu ombro, sem se virar.
Um dos jogadores a pega e a esconde imediatamente em suas costas. Os outros jogadores também colocam suas mãos nas costas e ficam de frente para a rainha, fingindo estar com a bola. A rainha se vira.
Se ela descobrir qual jogador está escondendo a bola em suas costas, esse jogador se torna a nova rainha (ou rei). Senão, ela mesma pega a bola de volta, e o jogo continua.

*Este jogo é muito popular na Inglaterra.

TRÊS, TRÊS PASSARÁ*

Evite ser pego enquanto estiver debaixo da ponte.

Como jogar:

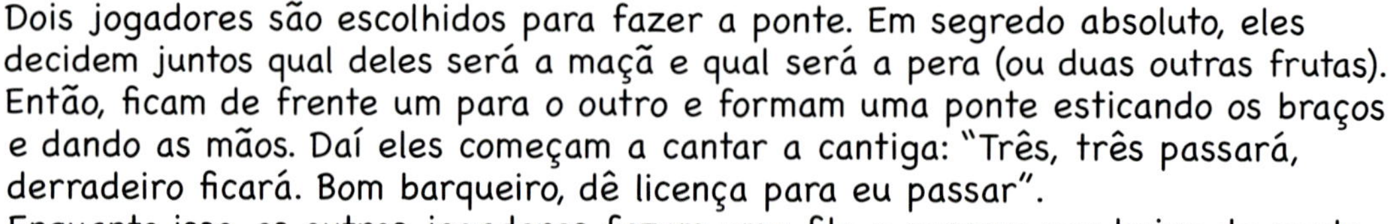

Dois jogadores são escolhidos para fazer a ponte. Em segredo absoluto, eles decidem juntos qual deles será a maçã e qual será a pera (ou duas outras frutas). Então, ficam de frente um para o outro e formam uma ponte esticando os braços e dando as mãos. Daí eles começam a cantar a cantiga: "Três, três passará, derradeiro ficará. Bom barqueiro, dê licença para eu passar".

Enquanto isso, os outros jogadores fazem uma fila e passam por baixo da ponte. Quando a música parar na frase "dê licença para eu passar", os dois jogadores que são a ponte abaixam os braços e a fecham, capturando, assim, um dos jogadores. Sussurrando, perguntam se ele quer ser uma "maçã" ou uma "pera". De acordo com sua resposta (ainda sussurrando), o prisioneiro fica atrás do jogador que for a pera ou a maçã. E o jogo continua.

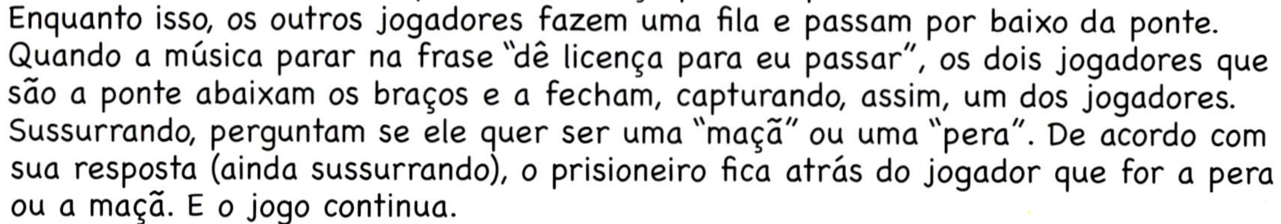

Os jogadores que restarem continuam passando por baixo da ponte. Quando a música parar, outro jogador vira prisioneiro.

Ao final, quando não restarem mais jogadores, todos os prisioneiros que estiverem atrás da "maçã" ou da "pera" seguram-se na cintura do jogador à sua frente e puxam os outros jogadores para trás. O time que conseguir puxar o outro time inteiro ganha a rodada.

*Este jogo é popular na Alemanha e também no Brasil. Em cada local a cantiga de roda é diferente, mas o jogo é o mesmo.